D0364106

Vi...e

Tosca Menten
Tekeningen van Jeska Verstegen

raketjes

AFGESCHREVEN

BIBLIOTHEEK KINKERBUURT
Nic. Beetsstraat 86
1053 RP Amsterdam
Tel. 020 - 616 32 75   Fax 020 - 612 64 18

Zwijsen

Een geheim

Op een dag vindt Lieze een leeg plakboek.
'Mag ik hem hebben?' vraagt ze aan mama.
'Ja hoor,' zegt mama.
'In dit boek kun je iets sparen.
Je kunt er droge bloemen in plakken.
Of zakjes van suiker.
Of postzegels.
Of ...'
'Stop maar, ik weet al iets,' roept Lieze.
'Wat dan?' vraagt mama.
'Dat zeg ik niet.
Het is een geheim.'
Lieze pakt een schaar en een pot plaksel.
Ze doet alles in een tas.
Dan gaat ze op pad.

Eerst gaat ze naar opa en oma.
En dan naar oom Jan en tante Mona.
En naar de buurvrouw.
Ze gaat naar alle mensen die ze kent.
Ze gaat zelfs naar de slager.
Die is net ham aan het snijden.
'Hallo slager,' zegt Lieze.

'Mag ik misschien ... pss ... pss ...'
Lieze praat heel zacht.
Niemand mag het horen.
Alleen de slager hoort haar.
Hij pakt de schaar en knipt.
'Hier, dit is voor jou,' zegt hij.
'Veel plezier ermee.'

Blij huppelt Lieze naar huis.
Haar plakboek is al bijna vol.
Morgen neemt ze het mee naar school.
Dan mag de hele klas het zien.
Wat zullen ze opkijken!

Vieze Lieze

Lieze loopt naar school.
Het plakboek zit in haar tas.
'Laat maar zien,' zegt juf Nellie.
Trots slaat Lieze het boek open.
'Dit is mijn plakboek,' zegt ze.
'Het zit vol nagels.
Want die spaar ik.
Kijk, dit is de nagel van mama.
En deze is van de teen van papa.
En deze is van opa.
En deze van oma.
En ik heb er nog veel meer.'

Lieze slaat een bladzij om.
'Deze is van de buurvrouw.
Er zit rode lak op.
En deze is van de buurman.
Daar zit een zwart randje aan.
En deze is van de bakker.
Daar zit nog een beetje meel aan.'
'En wat is dat?' vraagt Elsa-Marie.
Ze wijst op een dikke nagel.
Er zit een stukje rood spul aan.

Lieze lacht.
'Dat is een nagel van de slager.
Dat rode spul is een stukje ham!'
Elsa-Marie gilt het uit.
'Bah!' roept ze.
'Die gekke Lieze spaart nagels!
Nagels met meel en ham!
Vieze Lieze! Vieze Lieze!'
De klas gilt met Elsa-Marie mee.
'Vieze Lieze! Viezel Lieze!'
'Hou op!' roept Lieze boos.
'Nagels zijn niet vies!'
'Nagels zijn super vies!' roept Elsa-Marie.
'En ze stinken ook nog!'
'Niet!' roept Lieze.
'Wel!' roept Elsa-Marie.
'Ssst!' roept juf Nellie.
De klas is stil.

Boos slaat Lieze het boek dicht.
Ze zegt de hele morgen niets meer.
Om twaalf uur gaat de bel.
Lieze is nog steeds boos.
Met grote stappen loopt ze naar huis.
Stomme Elsa-Marie en stomme klas, denkt ze.

Wacht maar.
Ik heb een idee.
Een super idee.
Jullie zullen nog opkijken.

Een brief aan prins Willem

Lieze gaat naar haar kamer.
Ze pakt een vel papier en een stift.
Ze schrijft met heel mooie letters:

Beste prins Willem,
Ik heet Lieze en ik spaar nagels.
Ik heb er al best veel.
Bijna een plakboek vol.
Nu heb ik nog één wens:
Ik wil graag een nagel van een prins!
Nagels van een prins zijn zeldzaam.
Daarom vraag ik het aan u:
Heeft u misschien een nagel over?
Het liefst een nagel van uw grote teen.
Stuur de nagel naar
  Lieze de Wit
  Beukenlaan nummer 7
  Hopdam.
Heel erg dank u wel.
Met de groeten van Lieze.

Lieze leest de brief twee keer over.
En daarna nog een keer.
Dan plakt ze hem dicht.
Ze schrijft erop: Voor prins Willem.
Adres: Het paleis van prins Willem.
Dat weet de postbode vast wel.
Want alle mensen kennen prins Willem.
Prins Willem is een knappe prins.
Hij is nog knapper dan een filmster.
Hij heeft lang bruin haar.
En een rechte neus en witte tanden.
En mooie kleren.
En hij heeft vast mooie nagels.
De mooiste nagels van het land.

Vlug brengt ze de brief naar de bus.
Het is best eng.
Misschien vindt prins Willem haar ook vies.
Zou het lukken?

Een brief terug

Na drie dagen krijgt Lieze een brief terug.
De brief is van heel mooi, wit papier.
Er zit een gouden stempel op.
'Kijk Lieze.
Hier is een brief voor jou,' zegt mama.
'Hij ziet er wel duur uit.
Van wie zou die zijn?'
Lieze krijgt rode wangen.
Vlug maakt ze de brief open.
Hij staat vol letters met krullen.
Ze leest:

Beste Lieze.
Wie spaart er nou nagels!
Ik vind dat heel erg gek.
Maar ik vind het ook heel erg leuk!
Ik moet daar erg om lachen.
Ik moet er zelfs om gieren!
Daarom wil ik jou graag zien.
Ik stuur mijn nagel niet naar je op.
Ik kom zelf naar je toe.
Dan neem ik al mijn tenen mee.
En dan mag jij een nagel uitkiezen.
Ik kom op maandag om half vier.
Tot dan!
Groeten van prins Willem.

Lieze wordt nog roder.
Ze springt in de lucht.
Ze maakt een dansje.
'We krijgen bezoek!' roept ze tegen mama.
'Prins Willem komt naar mij toe!
Hij brengt een nagel voor mijn plakboek!'
'De echte prins Willem?' vraagt mama.
'Met zijn lange haren en zijn witte tanden?'
'Ja!' roept Lieze.
'Hij komt maandag, om half vier!'
'Oeps,' zegt mama.
'Dan mag ik wel gaan ramen zemen.'

Hoog bezoek

Het is maandag.
Lieze rent uit school naar huis.
Om kwart over drie is ze thuis.
Het wordt tien voor half vier.
Het wordt vijf voor half vier.
Het wordt één minuut voor half vier ...
Ja!

Een auto komt om de hoek.
Hij is heel groot en heel zwart.
Hij glimt als een zeepbel.
Er zitten gouden spiegels aan.
En hij heeft wel acht deuren!
De auto stopt voor het huis van Lieze.
Lieze rent naar buiten.
Een deur gaat open.
Een echte lakei komt naar buiten.
De lakei loopt naar de grootste deur.
'We zijn er,' zegt hij.
Lieze kijkt haar ogen uit.
Eerst komt er een hoofd uit de auto.
Een hoofd met lange haren en een kroon.
Dan stapt de rest van prins Willem uit.

Hij lacht.
Zijn witte tanden glimmen als parels.
Lieze wordt weer rood.
Ze buigt.
Prins Willem buigt terug.
Lieze schiet in de lach.
'Komt u maar binnen,' zegt ze.
'Wilt u koffie?' vraagt mama.
'Graag, met veel suiker,' zegt prins Willem.
'En wat zijn uw ramen schoon!'
Mama lacht ook.
En ze wordt net zo rood als Lieze.

Een gouden nagel

Prins Willem geeft Lieze een hand.
'Dag Lieze,' zegt hij.
'Dag prins Willem,' zegt Lieze.
'Dus jij spaart nagels.
Mag ik je plakboek eens zien?'

Lieze rent naar haar kamer.
Trots laat ze haar plakboek zien.
Prins Willem kijkt naar elke bladzij.
'Kijk, rode lak!' giert hij.
'En meel!
En stroop!
Pindakaas!
En dat ...'
Hij kijkt Lieze aan.
'Is dat soms ... ham?'
Lieze knikt.
Prins Willem giert het uit.
'Wat een super gek plakboek!
Zoiets heb ik nog nooit gezien!'
Hij lacht en lacht.
Hij slaat op zijn knie.
Hij brult het uit.

Tot hij niet meer kan.

'Nou, vertel op,' zegt hij dan.
'Welke nagel wil je?
Van mijn hand of van mijn teen?'
'Van uw teen,' zegt Lieze.
Prins Willem bukt.
Hij doet zijn schoen uit.
En daarna zijn sok.
Hij heeft een heel grote grote teen.
Op de grote teen zit een grote nagel.
En op de nagel zit gouden lak.
Het is echt een nagel van een prins!
De lakei geeft prins Willem een schaar.
Prins Willem bukt en ... KNIP!
'Hier,' zegt hij.
'Een nagel voor je plakboek.'
Hij staat op.
'Jij bent een gek kind.
Daar houd ik wel van.
Nu moet ik weg.
Ik moet nog ergens een lint doorknippen.'

Lieze en prins Willem gaan naar buiten.
Bij de auto staan jongens en meisjes.
'Prins Willem! Prins Willem!' roepen ze.
Elsa-Marie zwaait zo hard als ze kan.

Maar prins Willem kijkt niet naar Elsa-Marie.
Hij kijkt naar Lieze.

En dan gebeurt het.
Prins Willem bukt.
Hij geeft Lieze een kus op haar wang.
Alle meisjes kijken hun ogen uit.
Elsa-Marie bijt op haar lip.
Prins Willem kust die vieze Lieze!
Hoe kan dat nou?

Lieze neemt wraak

Op dinsdag huppelt Lieze naar school.
Het plakboek zit weer in haar tas.
Juf Nellie kijkt verbaasd.
'Heb je je plakboek weer mee?' vraagt ze.
Lieze knikt.
Trots slaat ze het plakboek open.
Ze steekt het hoog in de lucht.
'Ik heb een nieuwe nagel,' zegt ze.
'Dit is de nagel van ... prins Willem!'
De gouden nagel glimt als een dure ring.
De klas kan hem goed zien.
'Wat is hij mooi,' zucht Elsa-Marie.
'Hij ruikt vast ook nog lekker.'
'Ja,' zegt Lieze.
'Hij ruikt naar parfum.'
Juf Nellie begint te klappen.
De hele klas klapt hard mee.
'Hoera voor Lieze!' roepen ze.
'Hoera! Hoera!'
Dan begint de les.

Om twaalf uur gaat de bel.
Lieze loopt naar buiten.

Elsa-Marie loopt achter haar aan.
'Mag ik met je spelen?' vraagt ze.
'Nee,' zegt Lieze.
'Ik heb geen tijd.
Ik moet prins Willem nog bellen.'
De mond van Elsa-Marie valt open.
Lieze draait zich om.
Ze lacht stiekem.
Ze moet prins Willem niet bellen.
Maar dat weet Elsa-Marie toch niet.
Zingend huppelt ze naar huis.

Raketjes bij kern 10 van Veilig leren lezen

1. Vieze Lieze
Tosca Menten en
Jeska Verstegen
*Na ongeveer 30 weken
leesonderwijs*

3. Help!
Selma Noort en
Harmen van Straaten
*Na ongeveer 30 weken
leesonderwijs*

2. De steen van Floor
Dirk Nielandt en
Daniëlle Schothorst
*Na ongeveer 30 weken
leesonderwijs*

ISBN 978.90.276.6179.1
NUR 287
3e druk 2011

© 2005 Tekst: Tosca Menten
Illustraties: Jeska Verstegen
Lay-out: Studio Frans Galema
Uitgeverij Zwijsen B.V., Tilburg

Voor België:
Uitgeverij Zwijsen.be, Antwerpen
D/2005/1919/392

Behoudens de in of krachtens de Auteurswet van 1912 gestelde uitzonderingen mag niets uit deze uitgave worden verveelvoudigd, opgeslagen in een geautomatiseerd gegevensbestand, of openbaar gemaakt, in enige vorm of op enige wijze, hetzij elektronisch, mechanisch, door fotokopieën, opnamen of enige andere manier, zonder voorafgaande schriftelijke toestemming van de uitgever. Voor zover het maken van reprografische verveelvoudigingen uit deze uitgave is toegestaan op grond van artikel 16 h Auteurswet 1912 dient men de daarvoor wettelijk verschuldigde vergoedingen te voldoen aan de Stichting Reprorecht (Postbus 3060, 2130 KB, Hoofddorp, www.reprorecht.nl).
Voor het overnemen van gedeelte(n) uit deze uitgave in bloemlezingen, readers en andere compilatiewerken (artikel 16 Auteurswet 1912) kan men zich wenden tot de Stichting PRO (Stichting Publicatie- en Reproductierechten Organisatie, Postbus 3060, 2130 KB Hoofddorp, www.cedar.nl/pro).